세종 한국어

더하기 활동

1A

발간사

최근 전 세계인이 접하는 한류 콘텐츠의 규모가 늘어나면서 한류 문화가 확산되고 있고, 그 결과로 한국어를 배우고자 하는 외국인 학습자의 기세가 매우 놀랍습니다. 세계 곳곳이 코로나19로 침체기를 겪던 2021년에도 한국어능력시험 응시자는 30만 명을 훌쩍 넘었으며, 문화체육관광부의 세종학당은 2007년 13곳에서 2022년에는 84개국 244개소로 증가하였습니다. 이러한 한류의 지속적인 확산을 뒷받침하기 위해서는 한국어교육의 탄탄한 지원이 필요합니다.

한류 콘텐츠와 함께 성장하는 한국어교육의 토대를 다지기 위해, 문화체육관광부와 국립국어원은 2011년 처음 발간된 《세종한국어》를 새로 다듬기로 하였습니다. 2019년부터 기초 연구를 시작한 교재 개정 작업은 3년의 시간을 들여, 2022년 드디어 새로운 《세종한국어》를 펴내게 되었고, 이를 세종학당재단과 함께 알리게 되었습니다.

새롭게 개정된 《세종한국어》는 첫째, 세종학당 곳곳에서 한국어를 배우고자 하는 열의로 가득 찬 외국인 학습자 중심의 교재를 지향하였습니다. 둘째, 현지 세종학당의 학습 환경에 따라 유연하게 활용할 수 있는 맞춤형 교재로 정비되었습니다. 셋째, 한류 콘텐츠에 대한 외국인들의 관심을 내용에 반영함으로써, 한국어 공부에 대한 학습자의 부담을 낮췄습니다. 마지막으로 세종학당을 대표하는 표준 교재로서 구심점 역할을 담당하고, 이후의 한국어 학습을 위한 연계성도 잘 갖추었습니다.

세종학당은 한국어와 한국 문화로 한국과 세계를 연결하는 대한민국 대표의 국외 한국어교육 기관입니다. 국립국어원과 문화체육관광부는 앞으로도 세종학당재단과 협력하여 전 세계에서 한국어를 사랑하는 이들이 꿈을 이룰 수 있도록 지속적인 노력과 지원을 아끼지 않겠습니다.

끝으로 교재 개발을 위해 최선의 노력을 기울여 주신 연구·집필진과 출판사 관계자분들께 진심으로 감사의 말씀을 드립니다. 《세종한국어》의 새로운 출발과 함께 문화체육관광부와 국립국어원, 세종학당재단이 세계로 더 나아갈 수 있도록 여러분의 따뜻한 관심 부탁드립니다.

2022년 8월

국립국어원장 장소원

머리말

세종학당은 한국과 전 세계를 연결하는 한국어·한국 문화 보급 기관입니다. 이번에 개발한 교재는 상호 문화주의에 기반하여 한국어 학습에 대한 학습자의 흥미를 증진함으로써 한국어 의사소통 능력을 향상시키는 것을 목표로 하였습니다. 이를 위해 최근 한국의 상황을 적극적으로 반영하였고 최신 교수법을 구현할 수 있는 새로운 구성과 디자인을 적용하였습니다. 이를 통해 국외 한국어교육의 방향성을 새롭게 제시하고자 하였습니다. 개정 《세종한국어》의 구체적 특징은 다음과 같습니다.

첫째, 세종학당의 표준 교육과정인 가형, 나형, 다형 전 과정에 탄력적으로 활용할 수 있도록 '기본 교재'와 '더하기 활동 교재'로 구분하였습니다. '기본 교재'에는 해당 등급에 필요한 핵심적인 내용을 담았으며, '더하기 활동 교재'에는 심화·확장이 필요한 언어 지식과 의사소통 활동을 담았습니다. 이를 통해 다양한 학습자 특성에 맞게 교재를 선택하여 사용할 수 있도록 하였습니다.

둘째, 효과적 교수·학습을 위해 단계별로 단원 구성을 차별화하였으며 학습 내용 또한 언어 발달 단계에 맞는 교수 학습 내용과 절차를 적용하였습니다. 특히 다양한 삽화와 시각적 자료를 적극적으로 제시하여 한국어 학습의 흥미를 극대화할 수 있도록 노력하였습니다.

셋째, 교재 전반에 생생한 한국 문화 내용을 배치하여 학습자들이 상호 문화적 관점에서 한국 문화를 이해하고, 궁극적으로는 자국의 문화와 한국 문화에 대한 바른 태도를 형성할 수 있도록 하였습니다.

넷째, 교재와 함께 '익힘책', '교사용 지도서', '어휘·표현과 문법', 수업용 PPT와 같은 보조 자료들을 개발하여 교사·학습자의 요구에 맞게 교재를 활용할 수 있도록 하였습니다.

이 교재를 기획하고 개발하는 모든 과정에 함께해 주신 국립국어원과 현지 학당과의 협조와 지원을 아끼지 않으신 세종학당재단, 그리고 학습자들이 재미있게 한국어를 배울 수 있도록 멋지게 디자인해 주신 공앤박출판사에 감사의 마음을 전하고 싶습니다. 끝으로 3년이라는 긴 시간 동안 오로지 한국어교육에 대한 열정으로 좋은 교재를 만들어 내기 위해 애써 주신 모든 집필진께 말로는 다할 수 없는 깊은 감사의 마음을 전합니다.

2022년 8월

저자 대표 이정희

차례

나라와 직업

1. 여기는 어디예요? 알맞은 것을 연결하고 읽어 보세요.

2. 그림을 보고 친구와 이야기해 보세요.

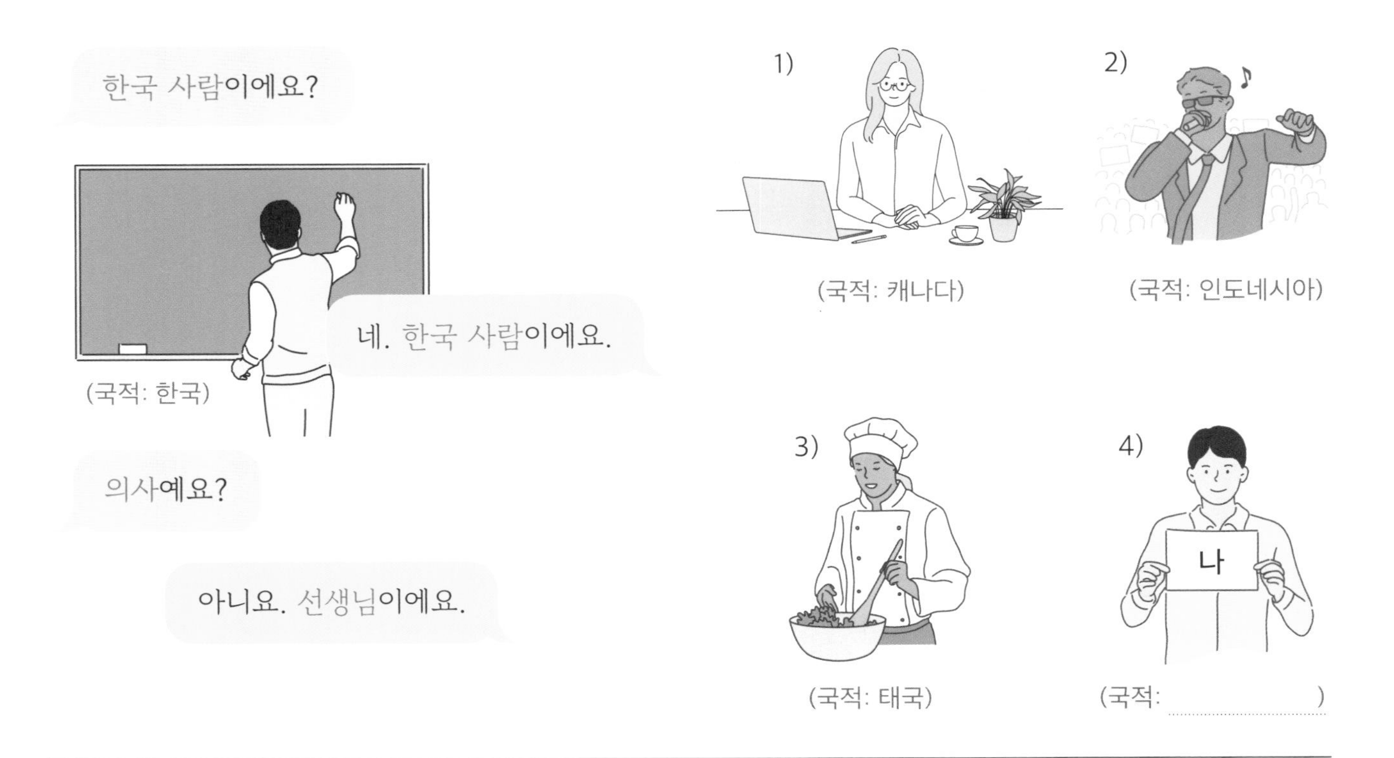

새 어휘 | 국적

이에요/예요 | 은/는

1. 다음에서 알맞은 것을 골라 문장을 쓰고 친구와 이야기해 보세요.

☐ 빵 ☐ 책 ☐ 나무 ☐ 의자 ☐ 포도 ☐ 신발 ☐ 책상 ☐ 과자 ☐ 우유
☐ 공책 ☐ 차 ☐ 가방

_____ 이에요.

빵이에요. /

_____ 예요.

2. 그림을 보고 대화를 완성해 보세요.

(재민, 회사원)

누구예요?

재민 씨예요.
재민 씨는 회사원이에요.

1) 

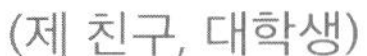

(제 친구, 대학생)

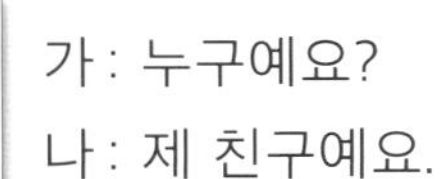

가 : 누구예요?
나 : 제 친구예요.
....

2) 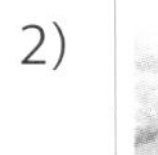

(유나, 가수)

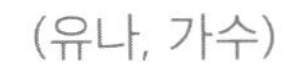

가 : 누구예요?
나 : 유나예요.
....

3) (선생님, 한국 사람)

가 : 누구예요?
나 : 선생님이에요.
....

4) 

(누나, 의사)

가 : 누구예요?
나 : 누나예요.
....

새 어휘 | 나무/신발/책상/과자/우유/가방/차/누나

인사와 소개

1. 마리 씨와 유진 씨가 처음 만나서 인사해요. 다음을 잘 듣고 질문에 답하세요.

1) 유진 씨는 어느 나라 사람이에요?

① 
(한국)

② 
(미국)

③ 
(일본)

2) 마리 씨의 직업이 뭐예요?

① 
(학생)

② 
(회사원)

③ 
(의사)

2. 그림을 보고 친구와 이야기해 보세요.

1) 

이름 : 민호
국적 : 한국
직업 : 학생

2) 

이름 : 마리
국적 : 일본
직업 : 회사원

3) 

이름 :
국적 :
직업 :

새 어휘 | 어느

친구 소개

1. 다음 글을 읽고 질문에 답하세요.

이 사람은 제 친구예요.
이름은 김진우예요. 한국 사람이에요.
진우 씨는 경찰이에요.

1) 이 사람의 이름이 뭐예요?

2) 이 사람은 어느 나라 사람이에요?

3) 이 사람의 직업은 뭐예요?

2. 여러분의 친구를 그리고 소개하는 글을 써 보세요.

새 어휘 | 이

한자어 수

1. 1부터 10까지 찾아서 순서대로 이어 보세요.

2. 다음 숫자를 친구한테 말해 보세요. 그리고 친구의 말을 듣고 숫자를 써 보세요.

A
(※ A 사람만 보세요.)

1) 다음 숫자를 친구한테 말하세요.

① 59 ②

③ ④

2) 친구가 말하는 숫자를 듣고 쓰세요.

① ②

③ ④

B
(※ B 사람만 보세요.)

1) 친구가 말하는 숫자를 듣고 쓰세요.

① ②

③ ④

2) 다음 숫자를 친구한테 말하세요.

① 21 ②

③ ④

이/가 | 이/가 아니에요

1. 그림을 보고 대화를 완성해 보세요.

이름이 뭐예요?

안나예요.

1) 가 : 여기_____ 교실이에요?
나 : 네. 교실이에요.

2) 
가 : 수지 씨_____ 친구예요?
나 : 네. 제 친구예요.

3) 가 : 이 사람_____ 누구예요?
나 : 제 동생이에요.

4) 가 : 전화번호_____ 뭐예요?
나 : 010-4230-7718이에요.

2. 그림을 보고 대화를 완성해 보세요.

안나 씨는 회사원이에요?

안나 씨는 회사원이 아니에요. 학생이에요.

1)  
가 : 선생님은 여자예요?
나 : 선생님은 ____________________ . 남자예요.

2)  
가 : 유진 씨는 한국 사람이에요?
나 : 유진 씨는 ____________________ . 미국 사람이에요.

3) 
가 : 모자예요?
나 : ____________________ .
옷이에요.

4) 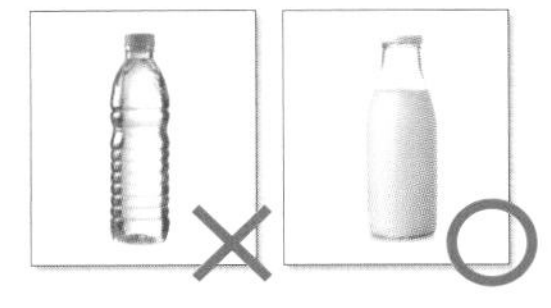
가 : 물이에요?
나 : ____________________ .
우유예요.

새 어휘 | 여자/옷

전화번호

1. 유진 씨가 전화번호를 묻고 있어요. 다음을 잘 듣고 질문에 답하세요.

01

1) 유진 씨는 어디 전화번호를 알고 싶어요?

① 

② 

③ 

2) 이곳의 전화번호가 뭐예요?

① 567-8631 ② 1630-2928 ③ 597-8631 ④ 1630-2918

2. 다음 장소의 전화번호를 친구에게 물어보세요. 그리고 친구의 대답을 써 보세요.

1) 

(식당)

2) 

(은행)

3) 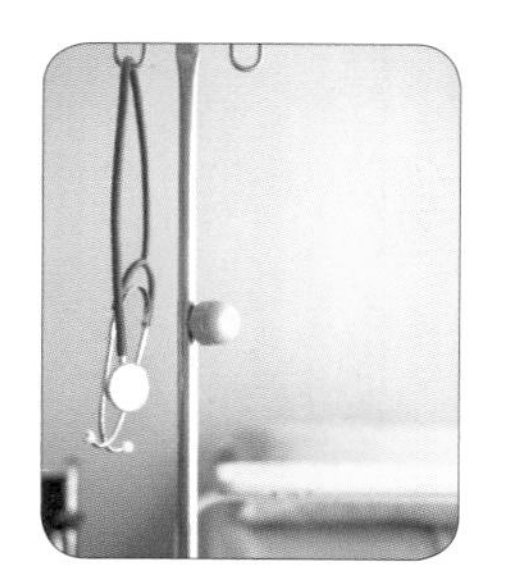

(병원)

4) 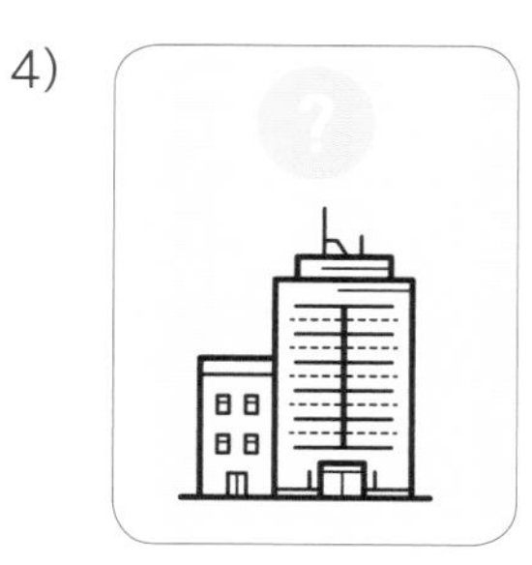

( )

새 어휘 | 은행/병원

수지 씨의 전화번호

1. 다음 글을 읽고 질문에 답하세요.

이름: 이수지 (한국 사람)
직업: 대학생
전화번호: 010-1762-9853

이 사람은 수지 씨예요. 한국 사람이 아니에요. 중국 사람이에요. 대학생이에요. 전화번호는 공일공 일팔육일 구칠오삼이에요.

1) 글을 읽고 틀린 부분에 표시해 보세요.

2) 수지 씨는 회사원이에요?

3) 수지 씨 전화번호가 뭐예요?

2. 틀린 부분을 고쳐 다시 글을 쓰고 친구와 비교해 보세요.

물건

1. 이것은 무엇이에요? 알맞은 것을 연결해 보세요.

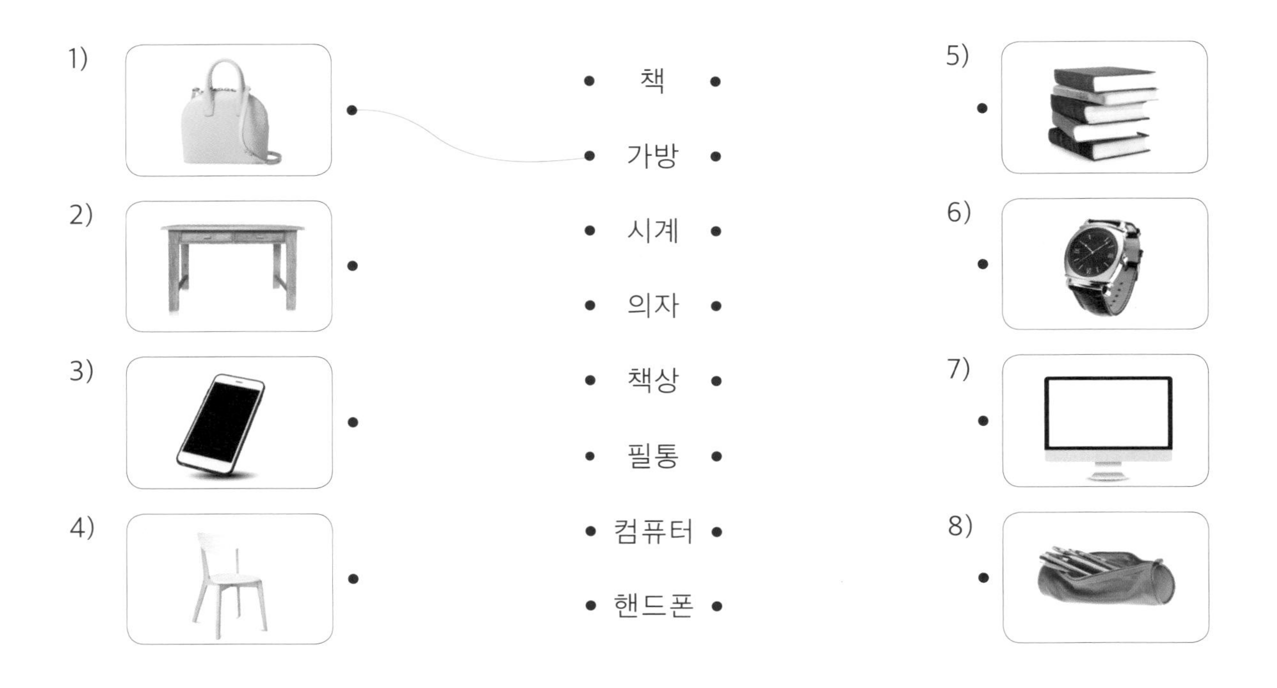

2. 그림을 보고 친구와 이야기해 보세요.

책이 어디에 있어요?

책상 위에 있어요.

1) 가방　　2) 시계　　3) 의자

4) 필통　　5) 컴퓨터　　6) 핸드폰

이, 그, 저 | 에 있다, 없다

1. 그림을 보고 대화를 완성해 보세요.

이 사람은 누구예요?

어머니예요.

1) 가: ______ 은 누구예요?
나: 한국어 선생님이에요.

2) 가: ______ 은 누구예요?
나: 제 친구예요.

3) 
가: ______ 는 누구 시계예요?
나: 유진 씨 시계예요.

4) 
가: ______ 은 누구 가방이에요?
나: 주노 씨 가방이에요.

2. 수지 씨 방에 무엇이 있어요? 무엇이 없어요? 누가 있어요? 누가 없어요?
그림을 보고 친구와 이야기해 보세요.

방에 책상이 있어요.

방에 주노 씨가 없어요.

마리 씨의 책

1. 유진 씨와 마리 씨가 이야기해요. 다음을 잘 듣고 질문에 답하세요.

01

1) 마리 씨 책은 어디에 있어요?

① 

② 

③ 

2) 안나 씨는 어디에 있어요?

① 

② 

③ 

2. 여기에 무엇이 있어요? 누가 있어요? 그림을 보고 친구와 이야기해 보세요.

1)

교실

2)

카페

3)

?

우리 교실

1. 다음 글을 읽고 질문에 답하세요.

여기는 우리 교실이에요. 칠판 앞에는 선생님 책상이 있어요. 선생님 책상 위에는 컴퓨터가 있어요. 제 책상 위에는 책, 연필, 필통이 있어요.

1) 여기는 어디예요?

2) 선생님 책상 위에 무엇이 있어요?

3) 이 사람 책상 위에 무엇이 있어요?

2. 우리 교실에는 무엇이 있어요? 그림을 그리고 써 보세요.

기본 동사

1. 무엇을 해요? 알맞은 것에 ✓ 표시를 해 보세요.

1)

☐ 봐요 ☐ 자요

2)

☐ 들어요 ☐ 마셔요

3)

☐ 읽어요 ☐ 만나요

4)

☐ 일해요 ☐ 운동해요

2. 친구의 동작을 보고 알맞은 동사를 이야기해 보세요.

-아요/어요 | 을/를

1. 그림을 보고 친구와 이야기해 보세요.

지금 무엇을 해요?

일해요.

1) 

가: 지금 무엇을 해요?

나: 친구를 ______________.

2) 

가: 지금 무엇을 해요?

나: 밥을 ______________.

3)

가: 지금 무엇을 해요?

나: 노래를 ______________.

4) 

가: 지금 무엇을 해요?

나: ______________.

2. 무엇을 좋아해요? 다음과 같이 친구와 이야기해 보세요.

꽃 | 노래 | 피자 | 김치 | 그림 | 영화 | 우유 | 사과 | 과자 | 신발 | 바나나

책 | 나무 | 쇼핑 | 춤 | 게임

무엇을 좋아해요?

저는 꽃을 좋아해요.

꽃 을 좋아해요.

______ 를 좋아해요.

새 어휘 | 노래/밥/그림/사과/바나나/춤

재민 씨와 마리 씨가 하는 일

1. 재민 씨와 마리 씨가 이야기해요. 다음을 잘 듣고 질문에 답하세요.

01

1) 마리 씨는 오늘 무엇을 해요?

① 

② 

③  

2) 재민 씨는 무엇을 좋아해요?

② 

③ 

2. 다음과 같이 친구와 이야기해 보세요.

오늘 무엇을 해요?

영화를 봐요.

	질문	나	친구
1)	오늘 무엇을 해요?		
2)	오늘 누구를 만나요?		
3)	무엇을 읽어요?		
4)	무엇을 공부해요?		
5)			

안나 씨와 유진 씨가 좋아하는 일

1. 다음 글을 읽고 질문에 답하세요.

안나 씨는 쇼핑을 좋아해요. 백화점에 자주 가요. 오늘은 신발을 사요. 유진 씨는 운동을 좋아해요. 그리고 영화를 좋아해요. 오늘은 한국 영화를 봐요.

1) 안나 씨는 무엇을 좋아해요?

2) 안나 씨는 오늘 무엇을 사요?

3) 유진 씨는 오늘 무엇을 해요?

2. 여러분은 무엇을 좋아해요? 그래서 무엇을 해요? 써 보세요.

장소와 식품

1. 여기는 어디예요? 알맞은 것을 연결해 보세요.

1) 2) 3) 4) 5) 6)

학교 회사 공원 카페 식당 마트

2. 다음에서 알맞은 것을 골라 친구와 이야기해 보세요.

라면 먹다 → 뭘 먹어요? 라면을 먹어요.

차 빵
라면 과일
커피 과자
우유 아이스크림

먹다 마시다
사다 좋아하다

에 가다 | 하고

1. 그림을 보고 친구와 이야기해 보세요.

2. 그림을 보고 친구와 이야기해 보세요.

안나 씨와 주노 씨가 가는 곳

1. 안나 씨와 주노 씨는 어디에 가요? 다음을 잘 듣고 질문에 답하세요.

01

1) 주노 씨는 무엇을 먹어요?

① 
② 
③ 

2) 안나 씨는 어디에 가요?

① 
② 
③ 

2. 다음과 같이 친구와 이야기해 보세요.

오늘 뭐 해요?

마트에 가요.

뭘 사요?

빵하고 아이스크림을 사요.

1)

식당 | 먹다

2)

백화점 | 사다

3)

카페 | 마시다

4)

공원 | 만나다

나의 오늘

1. 다음 글을 읽고 질문에 답하세요.

오늘 저는 공원에 가요. 운동해요. 그리고 친구를 만나요. 친구하고 한국 식당에 가요. 김밥하고 불고기를 먹어요. 한국 음식은 맛있어요.

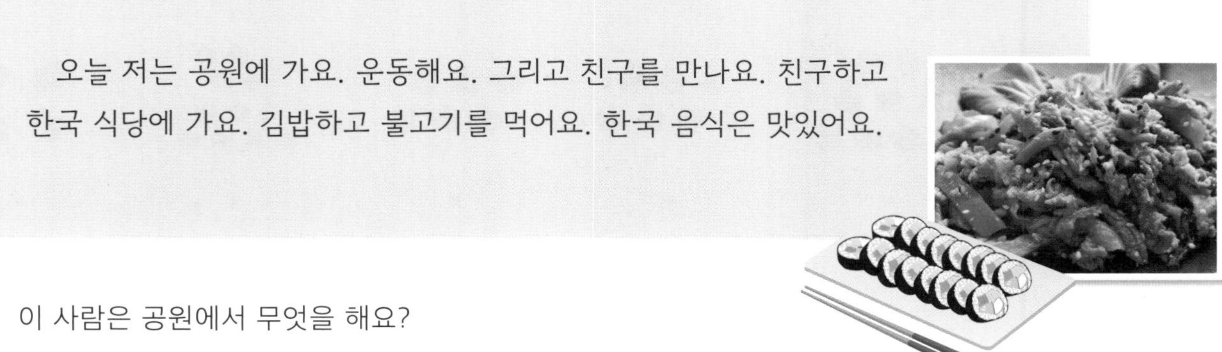

1) 이 사람은 공원에서 무엇을 해요?

2) 이 사람은 오늘 누구를 만나요?

3) 이 사람은 무엇을 먹어요?

2. 여러분은 오늘 어디에 가요? 무엇을 해요? 써 보세요.

고유어 수

1. 사과가 몇 개예요? 알맞은 숫자를 연결해 보세요.

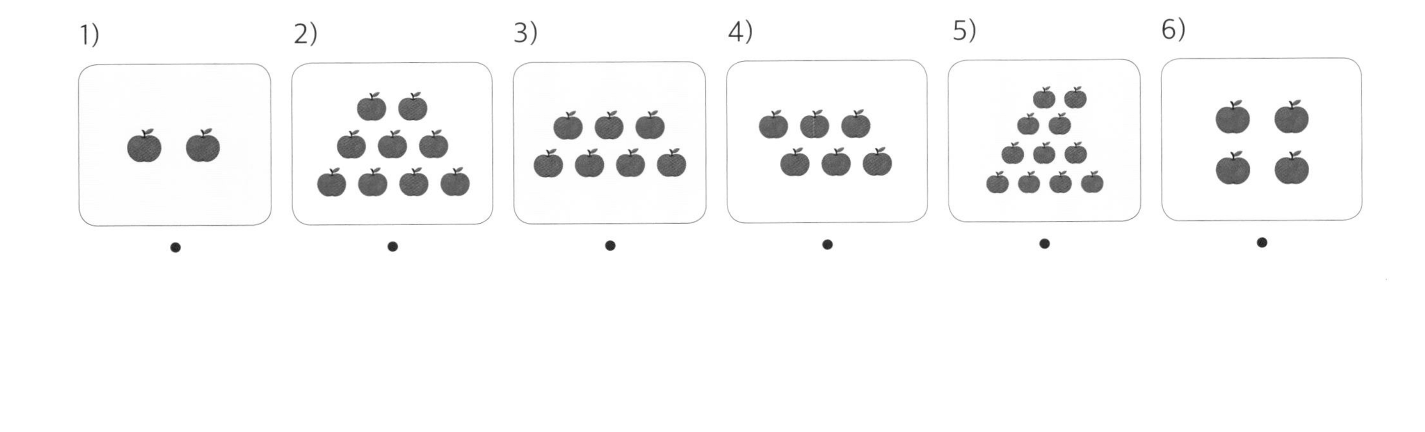

두 개 여섯 개 열한 개 아홉 개 네 개 일곱 개

2. 편의점에 무엇이 몇 개 있어요? 그림을 보고 친구와 이야기해 보세요.

1) 빵 2) 과자 3) 라면 4) 계란 5) 초콜릿 6) 우유

새 어휘 | 초콜릿

단위 명사

-(으)세요

1. 그림을 보고 친구와 이야기해 보세요.

의자가 몇 개 있어요?

한 개 있어요.

1)

2)

3)

4)

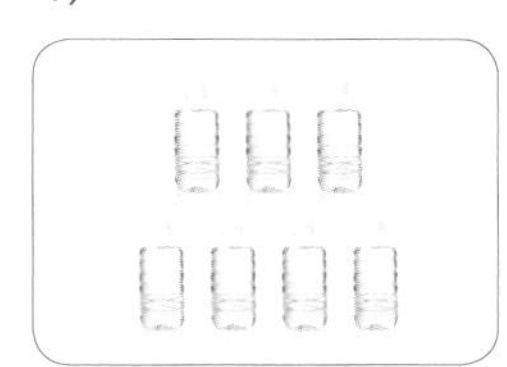

2. 친구와 '-(으)세요' 게임을 해 보세요.

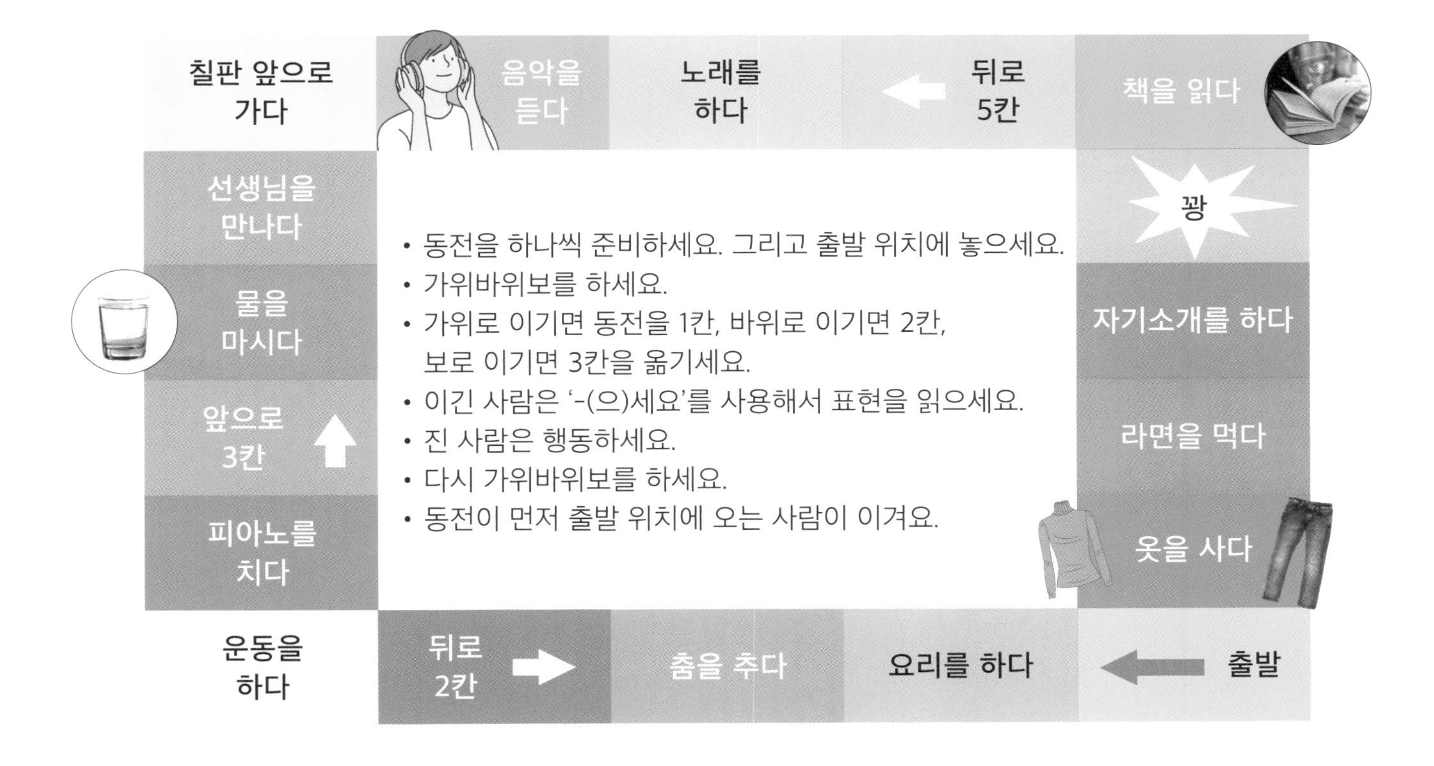

새 어휘 | 추다

가게

1. 안나 씨가 가게에 가요. 다음을 잘 듣고 질문에 답하세요.

1) 안나 씨는 무엇을 사요? 몇 개 사요?

①

②

2) 모두 얼마예요?

①

②

2. 무엇을 사요? 그림을 보고 주인과 손님이 되어 이야기해 보세요.

주인 : 어서 오세요.
손님 : 이 케이크는 얼마예요?
주인 : 팔천 원이에요.
손님 : 아이스크림은 얼마예요?
주인 : 이천육백 원이에요.
손님 : 그럼 케이크 한 개하고
아이스크림 한 개 주세요.
주인 : 여기 있어요.

질문	무엇을 사요?	몇 개 사요?
1) 손님	케이크, 아이스크림	한 개, 한 개
2) 나		
3) 친구		

새 어휘 | 손님

세종 마트

1. 다음을 읽고 질문에 답하세요.

세종 마트

과자	1개	2,500원
라면	4개	4,800원
우유	2개	1,600원
물	3병	3,000원
합		11,900원

저는 세종 마트에 가요. 과자 한 개하고 라면 네 개를 사요. 그리고 우유 두 개하고 물 세 병을 사요.

1) 주노 씨는 어디에 가요?

2) 주노 씨는 무엇을 몇 개 사요?

3) 모두 얼마예요?

2. 여러분이 세종 마트에 가요. 무엇을 몇 개 사요? 써 보세요.

세종 마트

		원
		원
		원
		원
합		원

새 어휘 | 합

날짜와 요일

1. 몇 월 며칠이에요? 알맞은 것을 연결해 보세요.

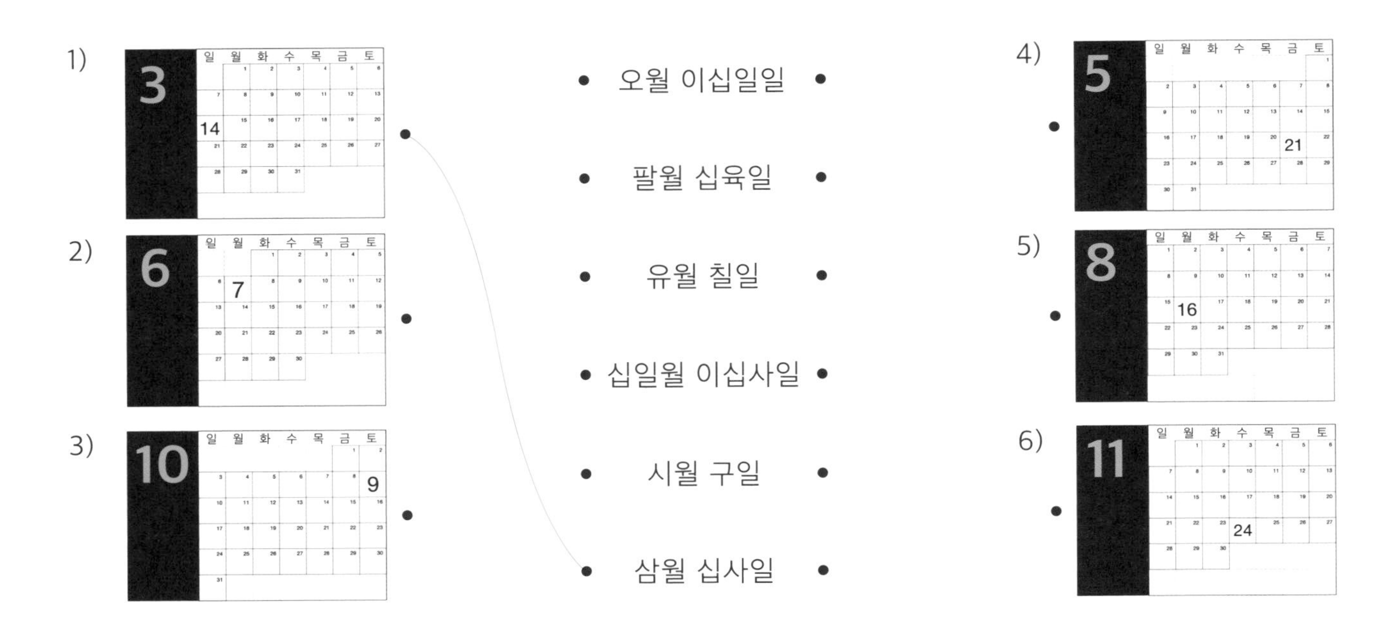

2. 달력을 보고 친구와 이야기해 보세요.

칠월 이십삼일은 무슨 요일이에요?

수요일이에요.

1)	칠월 이십삼일 — 무슨 요일
2)	내일 — 무슨 요일
3)	이번 주 금요일 — 며칠
4)	

에 | ○시 ○분

1. 그림을 보고 대화를 완성해 보세요.

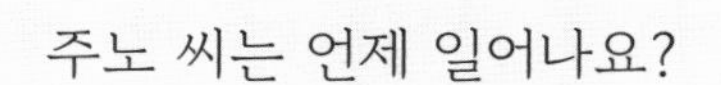

1) 

가 : 재민 씨, 오늘 친구를 만나요?
나 : 네. ....

2) 가 : 드라마가 몇 시에 시작해요?
나 : ....

3) 가 : 안나 씨는 언제 세종학당에 가요?
나 : ....

4) 가 : 유진 씨는 토요일에 아르바이트를 해요?
나 : 아니요. ....

2. 다음과 같이 그림과 대화를 완성해 보세요.

지금 몇 시예요?

열 시 삼십 분이에요.

1) 

가 : 우리 몇 시에 만나요?
나 : ....

2) 

가 : 기차가 몇 시에 출발해요?
나 : ....

3) 

가 : 영화가 몇 시에 시작해요?
나 : ....

4) 

가 : .... ?
나 : ....

새 어휘 | 기차/출발하다

안나 씨의 하루

1. 안나 씨 집에 친구가 와요. 다음을 잘 듣고 질문에 답하세요.

01

1) 안나 씨는 내일 뭘 해요?

① 

② 

③  

2) 친구가 몇 시에 와요?

① 2시　　② 3시　　③ 4시

2. 다음 한국 문화 수업 안내문을 보고 친구에게 이야기해 주세요. 친구의 이야기를 듣고 써 보세요.

A
(※ A 사람만 보세요.)

1)
〈떡국을 만들어요〉
여러분, 모두 오세요. 우리 같이 떡국을 만들어요. 떡국을 같이 먹어요.

언제: 1월 1일 아침 10시
어디: 세종학당 101호

2)
〈윷놀이를 해요〉
여러분, 시간이 있어요? 우리 토요일에 같이 윷놀이를 해요. 모두 오세요.

언제: ______요일 ______시
어디: 세종학당 ______층

B
(※ B 사람만 보세요.)

1)
〈떡국을 만들어요〉
여러분, 모두 오세요. 우리 같이 떡국을 만들어요. 떡국을 같이 먹어요.

언제: ______월 ______일 아침 ______시
어디: 세종학당 ______호

2)
〈윷놀이를 해요〉
여러분, 시간이 있어요? 우리 토요일에 같이 윷놀이를 해요. 모두 오세요.

언제: 토요일 오후 2시
어디: 세종학당 3층

새 어휘 | 떡국/여러분/윷놀이

나와 친구의 주말

1. 다음 글을 읽고 질문에 답하세요.

저는 지금 공항에 있어요. 오늘 고향 친구가 와요. 친구는 세 시에 도착해요. 오늘은 친구하고 한국 식당에 가요. 내일은 같이 쇼핑을 해요. 친구는 다음 주에 집에 가요.

1) 이 사람은 지금 어디에 있어요?

2) 친구가 몇 시에 와요?

3) 친구는 언제 집에 가요?

2. 오늘 친구를 만나요. 몇 시에 만나요? 무엇을 해요? 써 보세요.

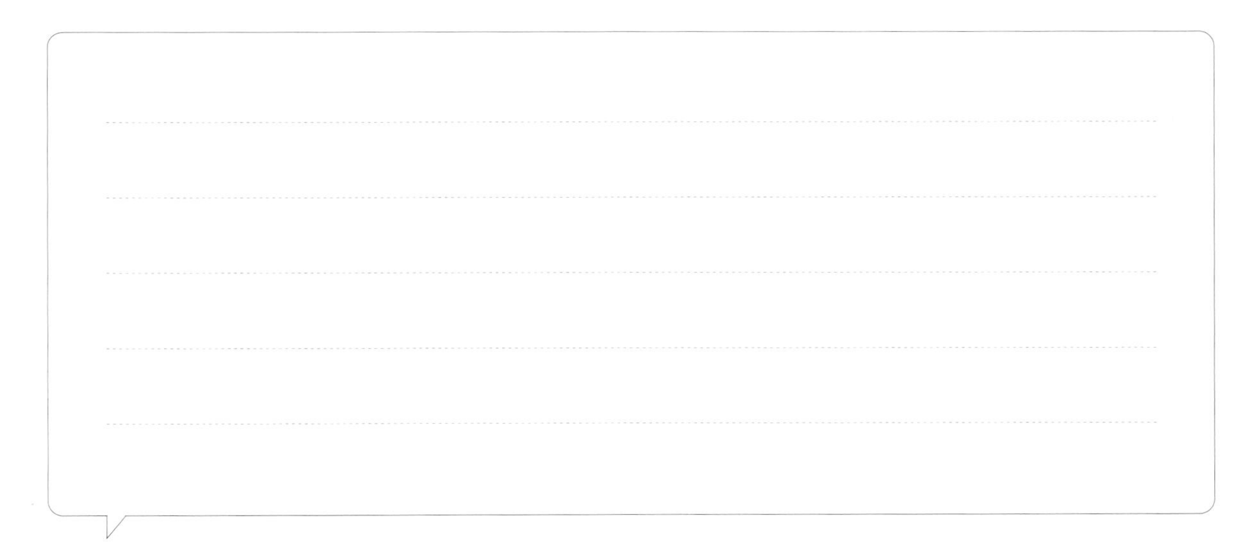

새 어휘 | 고향/공항/많다/도착하다

날씨와 계절

1. 한국의 날씨는 어때요? 계절과 날씨를 연결해 보세요.

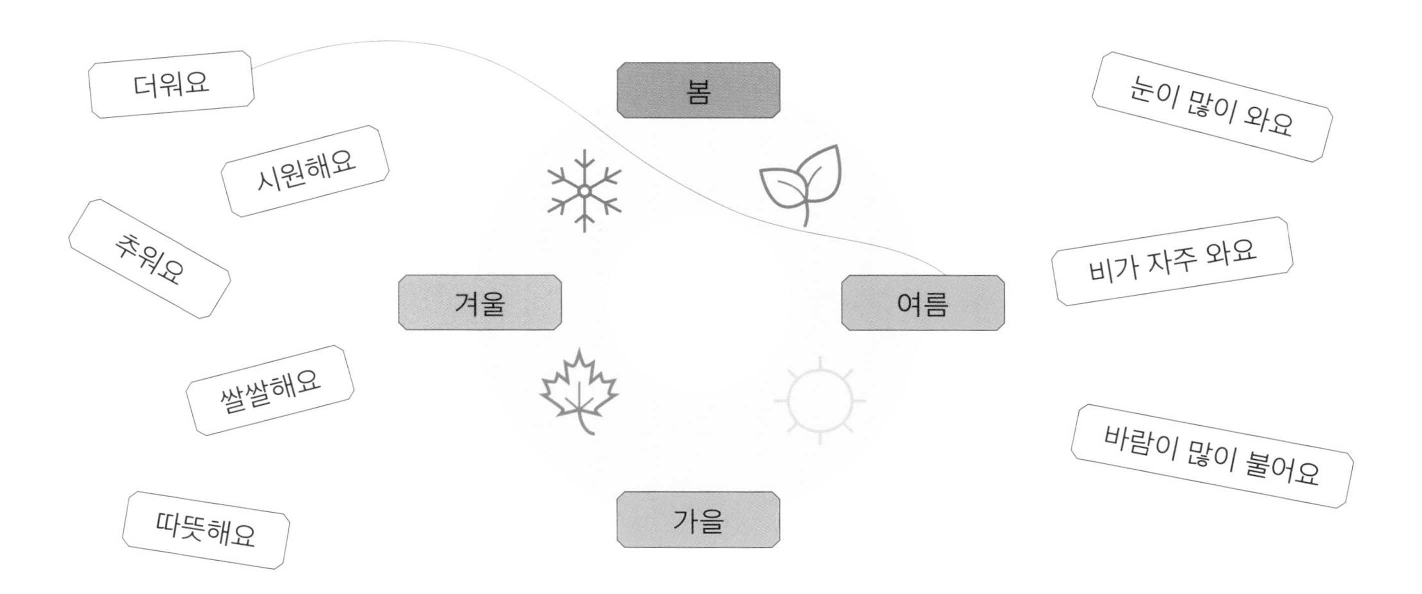

2. 날씨가 어때요? 그림을 보고 친구와 이야기해 보세요.

안 | ㅂ 불규칙

1. 그림을 보고 대화를 완성해 보세요.

지금 밖에 비가 와요?

아니요. 안 와요.
날씨가 흐려요.

1) 가: 지금 자요?
나: 아니요. ______________________.
책을 읽어요.

2) 가: 내일 도서관에 가요?
나: 아니요. ______________________.
백화점에 가요.

3) 
가: 오늘 날씨가 더워요?
나: 아니요. ______________________.
밤에는 좀 쌀쌀해요.

4) 
가: 지금 전화를 해요?
나: 아니요. ______________________.
메시지를 보내요.

2. 그림을 보고 대화를 완성해 보세요.

오늘 날씨가 어때요?

더워요.

1) 
가: 안나 씨, 김치가 어때요?
나: ______________. 그렇지만 맛있어요.

2) 
가: 책이 어려워요?
나: 아니요. 아주 ______________. 재미있어요.

3) 
가: 가방이 가벼워요?
나: 아니요. ______________________.

4) 
가: 밖이 ______________________?
나: 아니요. 오늘은 따뜻해요.

새 어휘 | 메시지/보내다/재미있다

오늘의 날씨

1. 오늘의 날씨예요. 다음을 잘 듣고 질문에 답하세요.

01

1) 오늘 아침의 날씨는 어때요?

① 

② 

③ 

2) 무엇을 준비해요?

2. 오늘 날씨가 어때요? 그림을 보고 친구와 이야기해 보세요.

1) 

2) 

새 어휘 | 준비하다

한국의 사계절

1. 다음 글을 읽고 질문에 답하세요.

〈한국의 날씨를 알아요?〉

한국에는 사계절이 있어요.
봄에는 날씨가 좋아요. 따뜻해요. 꽃이 많아요.
여름은 더워요. 비가 자주 와요.
가을은 시원해요. 단풍이 아주 예뻐요.
겨울은 아주 추워요. 눈이 와요.

1) 한국의 봄 날씨는 어때요?

2) 언제 비가 자주 와요?

3) 겨울 날씨는 어때요?

2. 여러분 나라의 계절과 날씨에 대해 써 보세요.

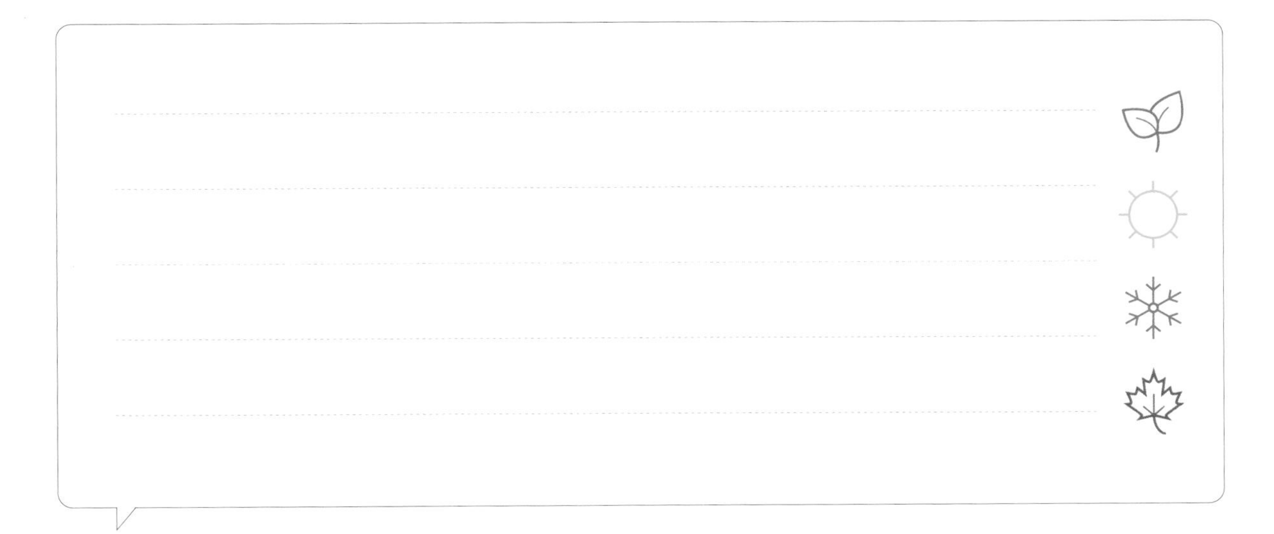

주말 활동

1. 무엇을 해요? 알맞은 것을 연결해 보세요.

1) 

2) 

3) 

- 게임을 해요
- 드라마를 봐요
- 산책해요
- 쇼핑해요
- 친구를 만나요
- 자전거를 타요

4) 

5) 

6) 

2. 그림을 보고 다음과 같이 대화를 완성해 보세요.

주말에 공원에 가요?

네. 공원에 가요. 산책해요.

1) 

가 : 오늘 저녁에 집에 있어요?
나 : 아니요. ______________.
______________.

2) 

가 : 박물관에 가요?
나 : 네. ______________.
______________.

3) 

가 : 오늘 친구를 만나요?
나 : 아니요. ______________.
______________.

4) 

가 : 내일 뭐 해요?
나 : ______________.
______________.

에서

-았/었-

1. 그림을 보고 대화를 완성해 보세요.

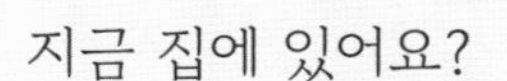

네. 오늘은 집에서 청소해요.

1) 

가 : 토요일에 공원에 가요?
나 : 네. ....

2) 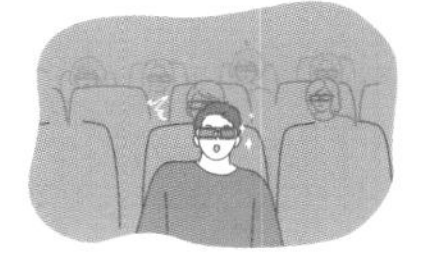

가 : 일요일에 뭐 해요?
나 : ....

3) 가 : 오늘 회사에 가요?
나 : 아니요. ....

4) 가 : 주말에 집에서 쉬어요?
나 : 아니요. ....

2. 이 사람들은 지난 토요일에 무엇을 했어요? 그림을 보고 친구와 이야기해 보세요.

유진 씨는 토요일에 뭐 했어요?

집에서 청소했어요.

새 어휘 | 휴가

안나 씨와 재민 씨의 주말

1. 안나 씨와 재민 씨의 주말 이야기예요. 다음을 잘 듣고 질문에 답하세요.

01

1) 안나 씨는 토요일에 무엇을 했어요?

① 

② 

③ 

2) 재민 씨는 주말에 무엇을 했어요?

① 집에서 쉬었어요. ② 고향에 다녀왔어요. ③ 한국 음식을 만들었어요.

2. 친구들은 주말에 무엇을 했어요? 질문을 만들고 친구와 이야기해 보세요.

주말에 한국어를 공부했어요?
네. 한국어를 공부했어요.
어디에서 공부했어요?
집에서 공부했어요.

주말에 한국어를 공부했어요?
아니요. 안 했어요.
그럼 뭐 했어요?
집에서 쉬었어요.

	질문	나	친구 1	친구 2
1)	주말에 한국어를 공부했어요?	네 / 아니요		
2)				
3)				
4)				
5)				

새 어휘 | 옛날

유진 씨의 주말

1. 다음 글을 읽고 질문에 답하세요.

저는 토요일에 바빴어요. 오전에는 방을 청소했어요. 그리고 빨래를 했어요. 오후에는 친구가 집에 왔어요. 집에서 친구하고 같이 떡볶이를 만들었어요. 아주 맛있었어요. 그리고 한국 드라마를 같이 봤어요.

1) 유진 씨는 토요일 오전에 무엇을 했어요?

2) 유진 씨는 토요일 오후에 무엇을 했어요?

3) 떡볶이는 어땠어요?

2. 여러분은 토요일에 무엇을 했어요? 어땠어요? 써 보세요.

새 어휘 | 오전/빨래/떡볶이

약속

1. 약속이 있어요? 친구하고 무엇을 해요? 알맞은 것을 연결하고 다음과 같이 이야기해 보세요.

2. 다음과 같이 대화를 완성해 보세요.

오늘 저녁에 뭐 해요?

친구하고 같이 한국 식당에 가요.

	질문	나	
1)	오후에 뭐 해요?		
2)	내일 뭐 해요?		
3)	이번 주말에 뭐 해요?		
4)	방학에 뭐 해요?		

-고 싶다

-(으)ㄹ까요?

1. 여러분은 무엇을 하고 싶어요? 다음 사람들은 무엇을 하고 싶어 해요? 그림을 보고 이야기해 보세요.

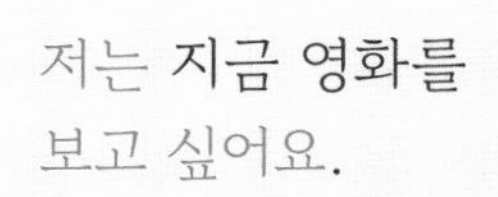

재민 씨는 잠을
자고 싶어 해요.

1)

저는 지금 영화를 보고 싶어요.
재민 씨는 잠을 자고 싶어 해요.

2)

....
....

3)

....
....

4)

....
....

2. 이 사람들은 지난 토요일에 무엇을 했어요? 그림을 보고 친구와 이야기해 보세요.

여기에서 택시를 탈까요?

네. 좋아요.

1) 

여기에서 택시를 •

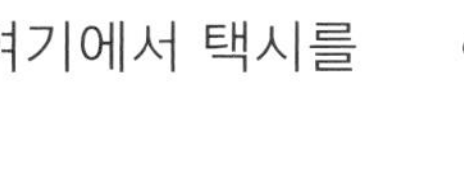

2)  같이 게임을 •

3)  주말에 영화를 •

4)  오늘 같이 저녁을 •

5)  방학에 같이 여행을 •

• 하다
• 보다
• 먹다
• 타다
• 가다

새 어휘 | 잠/택시

주말 약속

1. 주노 씨와 마리 씨가 약속을 해요. 다음을 잘 듣고 질문에 답하세요.

01

1) 주노 씨는 주말에 무엇을 해요?

① 
② 
③ 

2) 두 사람은 몇 시에 만나요?

① 2시　② 3시　③ 2시 30분　④ 3시 30분

2. 다음 안내문을 보고 친구와 약속을 해 보세요.

1)

케이팝(K-POP) 콘서트
1월 3일(금) 오후 7시
세종운동장

2)

한국 영화
9월 10일(토) 오후 8시
서울영화관

새 어휘 | 경기/경기장/운동장

약속

1. 다음 글을 읽고 질문에 답하세요.

저는 축구 경기를 보고 싶었어요. 그래서 오늘 마리 씨하고 축구 경기를 봤어요. 경기장에는 사람들이 아주 많았어요. 축구는 3시에 시작했어요. 축구 경기는 정말 재미있었어요. 축구 경기가 6시에 끝났어요. 그리고 마리 씨하고 저녁을 먹었어요. 오늘 하루는 재미있었어요.

1) 이 사람은 오늘 무엇을 했어요?

2) 축구 경기는 어땠어요?

3) 이 사람은 저녁에 무엇을 했어요?

2. 여러분의 친구와 무슨 약속을 했어요? 어떤 일이 있었어요? 써 보세요.

새 어휘 | 끝나다

/ 듣기 지문

/ 모범 답안

/ 어휘와 표현 색인

/ 자료 출처

듣기 지문

1A

01 안녕하세요? 저는 안나예요.

듣고 말하기 | 1번 | 8쪽

마리 씨와 유진 씨가 처음 만나서 인사해요. 다음을 잘 듣고 질문에 답하세요.

마리: 안녕하세요? 제 이름은 마리예요.
유진: 안녕하세요? 저는 유진이에요.
마리: 유진 씨는 어느 나라 사람이에요?
유진: 저는 미국 사람이에요. 마리 씨는요?
마리: 저는 일본 사람이에요. 저는 회사원이에요. 유진 씨는 학생이에요?
유진: 네. 대학생이에요.

02 전화번호가 뭐예요?

듣고 말하기 | 1번 | 12쪽

유진 씨가 전화번호를 묻고 있어요. 다음을 잘 듣고 질문에 답하세요.

유진: 마리 씨, 행복식당 전화번호가 뭐예요?
마리: 1630-2918이에요.
유진: 1630-2928, 맞아요?
마리: 2928이 아니에요. 2918이에요.

03 제 가방은 책상 옆에 있어요

듣고 말하기 | 1번 | 16쪽

유진 씨와 마리 씨가 이야기해요. 다음을 잘 듣고 질문에 답하세요.

유진: 마리 씨, 이 책이 마리 씨 책이에요?
마리: 아니요. 제 책은 가방에 있어요. 그 책은 안나 씨 책이에요.
유진: 안나 씨는 어디에 있어요?
마리: 교실 밖에 있어요.

04 한국어를 공부해요

듣고 말하기 | 1번 | 20쪽

재민 씨와 마리 씨가 이야기해요. 다음을 잘 듣고 질문에 답하세요.

재민: 마리 씨, 오늘 뭐 해요?
마리: 저는 친구를 만나요. 재민 씨는 오늘 뭐 해요?
재민: 저는 운동해요.
마리: 운동을 좋아해요?
재민: 네. 아주 좋아해요.

05 빵하고 우유를 사요

듣고 말하기 | 1번 | 24쪽

안나 씨와 주노 씨는 어디에 가요? 다음을 잘 듣고 질문에 답하세요.

안나: 주노 씨, 지금 어디에 가요?
주노: 식당에 가요.
안나: 뭘 먹어요?
주노: 라면하고 김밥을 먹어요. 안나 씨는 어디에 가요?
안나: 저는 집에 가요.

06 사과 다섯 개 주세요

듣고 말하기 | 1번 | 28쪽

안나 씨가 가게에 가요. 다음을 잘 듣고 질문에 답하세요.

주인: 어서 오세요.
안나: 이 빵 얼마예요?
주인: 삼천 원이에요.
안나: 우유는 얼마예요?
주인: 천 원이에요.
안나: 그럼 빵 한 개하고 우유 두 개 주세요.
주인: 여기 있어요.

07 일곱 시에 시작해요

듣고 말하기 | 1번 | 32쪽

안나 씨 집에 친구가 와요. 다음을 잘 듣고 질문에 답하세요.

재민: 안나 씨, 내일 집에 있어요?
안나: 네. 집에 있어요. 내일 오후에 친구가 우리 집에 와요.
재민: 몇 시에 와요?
안나: 네 시에 와요. 같이 한국 드라마를 봐요. 그리고 저녁을 같이 먹어요. 재민 씨, 내일 우리 집에 오세요.
재민: 저는 내일 오후에는 시간이 없어요. 미안해요.

08 날씨가 더워요?

듣고 말하기 | 1번 | 36쪽

오늘의 날씨예요. 다음을 잘 듣고 질문에 답하세요.

오늘의 날씨예요. 오늘 아침은 아주 따뜻해요. 오후하고 저녁에는 날씨가 좀 흐려요. 바람이 불어요. 밤에는 비가 와요. 우산을 준비하세요.

09 공원에서 산책했어요

듣고 말하기 | 1번 | 40쪽

안나 씨와 재민 씨의 주말 이야기예요. 다음을 잘 듣고 질문에 답하세요.

재민: 안나 씨, 주말 잘 보냈어요?
안나: 네. 토요일에 친구하고 같이 박물관 구경을 했어요.
재민: 아, 박물관 구경요? 안나 씨는 박물관 구경을 좋아해요?
안나: 네. 저는 옛날 물건을 좋아해요. 재민 씨는 주말에 뭐 했어요?
재민: 저는 토요일에 고향 친구를 만났어요. 친구하고 같이 노래방에서 노래했어요. 아주 재미있었어요. 일요일에는 한국 음식을 만들었어요.

10 우리 같이 놀이공원에 갈까요?

듣고 말하기 | 1번 | 44쪽

주노 씨와 마리 씨가 약속을 해요. 다음을 잘 듣고 질문에 답하세요.

주노: 마리 씨, 이번 주 일요일에 축구 경기를 같이 볼까요?
마리: 좋아요. 저도 축구 경기를 보고 싶었어요.
주노: 축구 경기가 3시에 시작해요. 우리는 몇 시에 만날까요?
마리: 그럼 2시 30분에 경기장 앞에서 만나요.
주노: 좋아요. 그럼 일요일에 봐요.

모범 답안

1A

안녕하세요? 저는 안나예요.

어휘와 표현 | 1번 | 6쪽

어휘와 표현 | 2번 | 6쪽

1) 가: 캐나다 사람이에요?
   나: 네. 캐나다 사람이에요.
   가: 선생님이에요?
   나: 아니요. 회사원이에요.
2) 가: 인도네시아 사람이에요?
   나: 네. 인도네시아 사람이에요.
   가: 회사원이에요?
   나: 아니요. 가수예요.
3) 가: 태국 사람이에요?
   나: 네. 태국 사람이에요.
   가: 가수예요?
   나: 아니요. 요리사예요.
4) [예시]
   가: 미국 사람이에요?
   나: 네. 미국 사람이에요.
   가: 요리사예요?
   나: 아니요. 학생이에요.

문법 | 1번 | 7쪽

___이에요: 책이에요. / 신발이에요. / 책상이에요. / 공책이에요. / 가방이에요.

___예요: 나무예요. / 의자예요. / 포도예요. / 과자예요. / 우유예요. / 차예요.

문법 | 2번 | 7쪽

1) 제 친구는 대학생이에요
2) 유나는 가수예요
3) 선생님은 한국 사람이에요
4) 누나는 의사예요

듣고 말하기 | 1번 | 8쪽

1) ② 미국
2) ② 회사원

듣고 말하기 | 2번 | 8쪽

1) 가: 이름이 뭐예요?
   나: 민호예요.
   가: 어느 나라 사람이에요?
   나: 한국 사람이에요.
   가: 직업이 뭐예요?
   나: 학생이에요.
2) 가: 이름이 뭐예요?
   나: 마리예요.
   가: 어느 나라 사람이에요?
   나: 일본 사람이에요.
   가: 직업이 뭐예요?
   나: 회사원이에요.
3) [예시]
   가: 이름이 뭐예요?
   나: 마리아예요.
   가: 어느 나라 사람이에요?
   나: 미국 사람이에요.
   가: 직업이 뭐예요?
   나: 대학생이에요.

읽고 쓰기	1번	9쪽

1) 김진우예요.
2) 한국 사람이에요.
3) 경찰이에요.

읽고 쓰기	2번	9쪽

[예시]
이 사람은 제 친구예요.
이름은 웨이예요. 중국 사람이에요.
웨이 씨는 요리사예요.

 전화번호가 뭐예요?

어휘와 표현	1번	10쪽

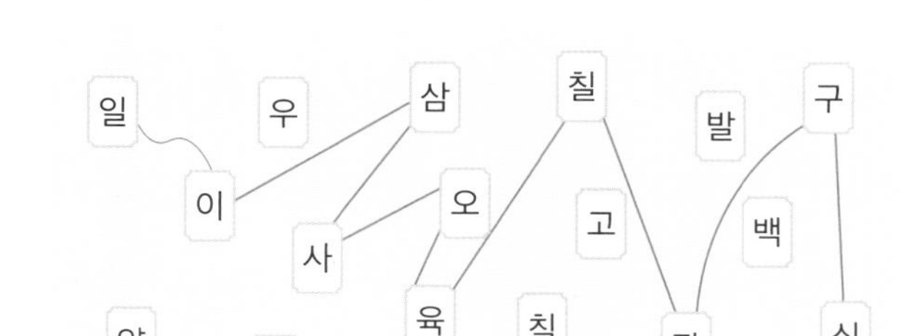

문법	1번	11쪽

1) 가
2) 가
3) 이
4) 가

문법	2번	11쪽

1) 여자가 아니에요
2) 한국 사람이 아니에요
3) 모자가 아니에요
4) 물이 아니에요

듣고 말하기	1번	12쪽

1) ①
2) ④

듣고 말하기	2번	12쪽

[예시]
1) 가: 다정식당 전화번호가 뭐예요?
   나: 02-1512-8943이에요.
2) 가: 세종은행 전화번호가 뭐예요?
   나: 044-4004-1036이에요.
3) 가: 미소병원 전화번호가 뭐예요?
   나: 062-2858-2121이에요.
4) 가: 하나 카페 전화번호가 뭐예요?
   나: 055-9338-1987이에요.

읽고 쓰기	1번	13쪽

1)

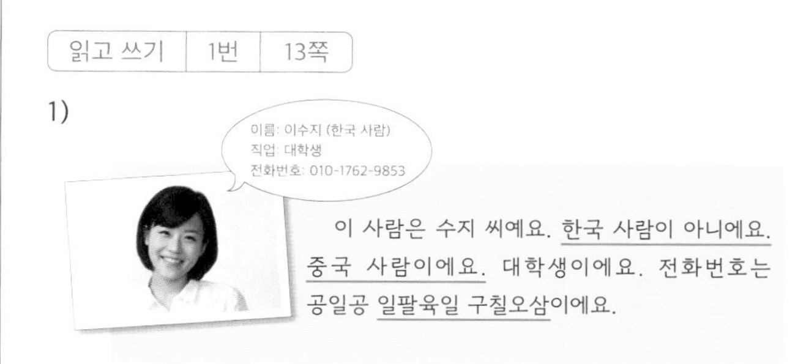

2) 아니요. 회사원이 아니에요. 대학생이에요.
3) 수지 씨 전화번호는 010-1762-9853이에요.

읽고 쓰기	2번	13쪽

이 사람은 수지 씨예요. 중국 사람이 아니에요. 한국 사람이에요. 대학생이에요. 전화번호는 공일공 일칠육이 구팔오삼이에요.

 제 가방은 책상 옆에 있어요

어휘와 표현	1번	14쪽

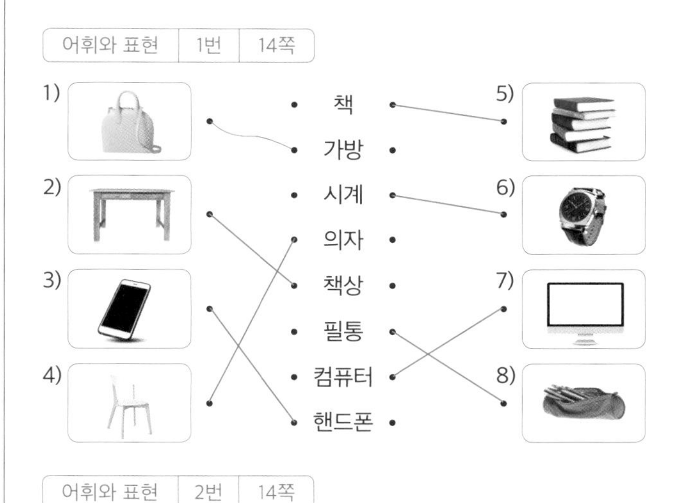

어휘와 표현	2번	14쪽

1) 가: 가방이 어디에 있어요?
   나: 책상 밑에 있어요.
2) 가: 시계가 어디에 있어요?
   나: 책상 위에 있어요./책 옆에 있어요.
3) 가: 의자가 어디에 있어요?
   나: 책상 앞에 있어요.
4) 가: 필통이 어디에 있어요?
   나: 가방 안에 있어요.
5) 가: 컴퓨터가 어디에 있어요?

나: 책상 위에 있어요./핸드폰 뒤에 있어요.

6) 가: 핸드폰이 어디에 있어요?

나: 시계 옆에 있어요./컴퓨터 앞에 있어요.

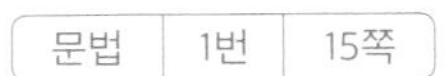

1) 저 사람
2) 그 사람
3) 이 시계
4) 저 가방

문법 | 2번 | 15쪽

[예시]

방에 안나 씨가 있어요.

방에 가방이 있어요.

듣고 말하기 | 1번 | 16쪽

1) ②
2) ③

듣고 말하기 | 2번 | 16쪽

[예시]

1) 교실에 선생님이 있어요.
   교실에 마리 씨가 있어요.
   교실에 칠판이 있어요.
   교실에 시계가 있어요.
2) 카페에 안나 씨가 있어요.
   카페에 주노 씨가 있어요.
   카페에 커피가 있어요.
   카페에 물이 있어요.
3) 도서관에 유진 씨가 있어요.
   도서관에 주노 씨가 있어요.
   도서관에 책이 있어요.
   도서관에 책상이 있어요.

읽고 쓰기 | 1번 | 17쪽

1) 여기는 교실이에요.
2) 선생님 책상 위에 컴퓨터가 있어요.
3) 이 사람 책상 위에 책, 연필, 필통이 있어요.

읽고 쓰기 | 2번 | 17쪽

[예시]

여기는 우리 교실이에요. 선생님 책상 뒤에 칠판이 있어요. 칠판 옆에는 책장이 있어요. 제 책상 옆에는 가방이 있어요. 가방 안에는 책, 필통이 있어요.

04 한국어를 공부해요

어휘와 표현 | 1번 | 18쪽

1) 봐요
2) 마셔요
3) 읽어요
4) 일해요

문법 | 1번 | 19쪽

1) 만나요
2) 먹어요
3) 들어요
4) 요리해요

문법 | 2번 | 19쪽

꽃 을 좋아해요.

그림/신발/책/쇼핑/춤/게임

_____ 를 좋아해요.

노래/피자/김치/영화/우유/사과/과자/바나나/나무

듣고 말하기 | 1번 | 20쪽

1) ③
2) ①

듣고 말하기 | 2번 | 20쪽

1) 가: 오늘 무엇을 해요?
   나: 영화를 봐요.
2) 가: 오늘 누구를 만나요?
   나: 친구를 만나요.
3) 가: 무엇을 읽어요?
   나: 한국어 책을 읽어요.
4) 가: 무엇을 공부해요?
   나: 한국어를 공부해요.
5) [예시]
   가: 무엇을 봐요?
   나: 한국 드라마를 봐요.

읽고 쓰기 | 1번 | 21쪽

1) 안나 씨는 쇼핑을 좋아해요.

2) 안나 씨는 오늘 신발을 사요.

3) 유진 씨는 오늘 한국 영화를 봐요.

읽고 쓰기	2번	21쪽

[예시]

저는 영화를 좋아해요. 영화관에 자주 가요. 오늘은 한국 영화를 봐요.

 빵하고 우유를 사요

어휘와 표현	1번	22쪽

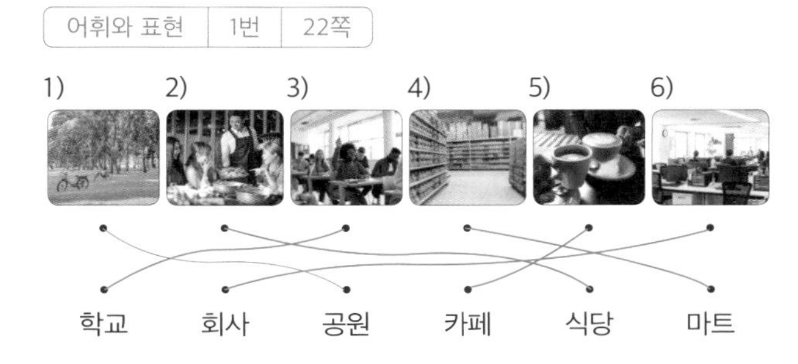

어휘와 표현	2번	22쪽

[예시 1]

가: 뭘 마셔요?

나: 우유를 마셔요.

[예시 2]

가: 뭘 먹어요?

나: 과일을 먹어요.

문법	1번	23쪽

1) 가: 어디에 가요?
   나: 마트에 가요.
2) 가: 어디에 가요?
   나: 카페에 가요.
3) 가: 어디에 가요?
   나: 회사에 가요.
4) 가: 어디에 가요?
   나: 식당에 가요.
5) 가: 어디에 가요?
   나: 공원에 가요.
6) 가: 어디에 가요?
   나: 백화점에 가요.

문법	2번	23쪽

[예시]

1) 가: 가방 안에 뭐가 있어요?
   나: 가방 안에 연필하고 핸드폰이 있어요.
2) 가: 뭘 사요?
   나: 라면하고 과자를 사요.

듣고 말하기	1번	24쪽

1) ①
2) ③

듣고 말하기	2번	24쪽

[예시]

1) 가: 오늘 뭐 해요?
   나: 식당에 가요.
   가: 뭘 먹어요?
   나: 불고기하고 김치를 먹어요.
2) 가: 오늘 뭐 해요?
   나: 백화점에 가요.
   가: 뭘 사요?
   나: 옷하고 신발을 사요.
3) 가: 오늘 뭐 해요?
   나: 카페에 가요.
   가: 뭘 마셔요?
   나: 커피하고 차를 마셔요.
4) 가: 오늘 뭐 해요?
   나: 공원에 가요.
   가: 누구를 만나요?
   나: 재민 씨하고 마리 씨를 만나요.

읽고 쓰기	1번	25쪽

1) 이 사람은 공원에서 운동해요.
2) 이 사람은 오늘 친구를 만나요.
3) 이 사람은 김밥하고 불고기를 먹어요.

읽고 쓰기	2번	25쪽

[예시]

오늘 저는 도서관에 가요. 공부해요. 그리고 동생을 만나요. 동생하고 카페에 가요. 커피하고 차를 마셔요.

06 사과 다섯 개 주세요

어휘와 표현	1번	26쪽

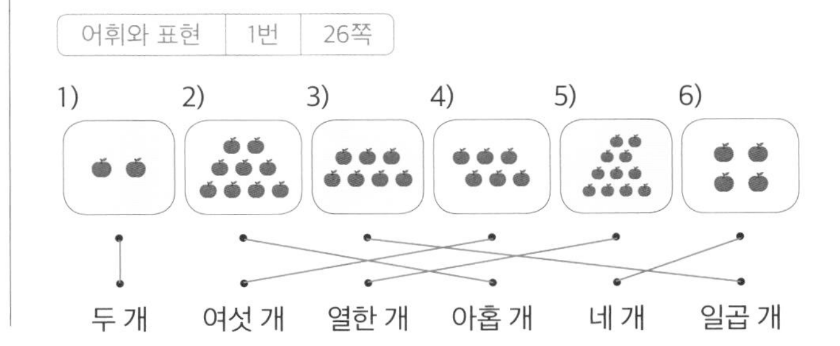

어휘와 표현 | 2번 | 26쪽

2) 가: 과자가 몇 개 있어요?
 나: 한 개 있어요.
3) 가: 라면이 몇 개 있어요?
 나: 네 개 있어요.
4) 가: 계란이 몇 개 있어요?
 나: 열두 개 있어요.
5) 가: 초콜릿이 몇 개 있어요?
 나: 여덟 개 있어요.
6) 가: 우유가 몇 개 있어요?
 나: 다섯 개 있어요.

문법 | 1번 | 27쪽

1) 가: 사람이 몇 명 있어요?
 나: 두 명 있어요.
2) 가: 책이 몇 권 있어요?
 나: 여섯 권 있어요.
3) 가: 고양이가 몇 마리 있어요?
 나: 네 마리 있어요.
4) 가: 물이 몇 병 있어요?
 나: 일곱 병 있어요.

듣고 말하기 | 1번 | 28쪽

1) ①
2) ②

듣고 말하기 | 2번 | 28쪽

2) [예시]
주인: 어서 오세요.
손님: 이 초콜릿은 얼마예요?
주인: 천 원이에요.
손님: 우유는 얼마예요?
주인: 구백 원이에요.
손님: 그럼 초콜릿 세 개하고 우유 두 개 주세요.
주인: 여기 있어요.
3) [예시]
주인: 어서 오세요.
손님: 이 빵은 얼마예요?
주인: 삼천 원이에요.
손님: 주스는 얼마예요?
주인: 천이백 원이에요.
손님: 그럼 빵 두 개하고 주스 네 개 주세요.
주인: 여기 있어요.

읽고 쓰기 | 1번 | 29쪽

1) 주노 씨는 세종 마트에 가요.
2) 주노 씨는 과자 한 개하고 라면 네 개하고 우유 두 개하고 물 세 병을 사요.
3) 모두 만 천구백 원이에요.

읽고 쓰기 | 2번 | 29쪽

[예시]
저는 세종 마트에 가요. 빵 두 개하고 주스 네 병을 사요. 그리고 케이크 한 개하고 사과 네 개를 사요.

일곱 시에 시작해요

어휘와 표현 | 1번 | 30쪽

어휘와 표현 | 2번 | 30쪽

2) 가: 내일은 무슨 요일이에요?
 나: 수요일이에요.
3) 가: 이번 주 금요일은 며칠이에요?
 나: 사일이에요.
4) [예시]
 가: 칠월 이십육일은 무슨 요일이에요?
 나: 토요일이에요.

문법 | 1번 | 31쪽

1) 일곱 시에 만나요
2) 아홉 시에 시작해요
3) 목요일에 가요
4) 월요일하고 수요일에 해요

문법 | 2번 | 31쪽

[예시]

1) 한 시에 만나요

2) 기차가 열 시에 출발해요

3) 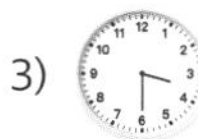 영화가 세 시 삼십 분에 시작해요

4)  가: 아르바이트를 몇 시에 시작해요
나: 열한 시에 시작해요

듣고 말하기	1번	32쪽

1) ②
2) ③

듣고 말하기	2번	32쪽

A
(※ A 사람만 보세요.)

2)
〈윷놀이를 해요〉
여러분, 시간이 있어요? 우리 토요일에 같이 윷놀이를 해요. 모두 오세요.
언제: __토__ 요일 __오후 2__ 시
어디: 세종학당 __3__ 층

B
(※ B 사람만 보세요.)

1)
〈떡국을 만들어요〉
여러분, 모두 오세요. 우리 같이 떡국을 만들어요. 떡국을 같이 먹어요.
언제: __1__ 월 __1__ 일 아침 __10__ 시
어디: 세종학당 __101__ 호

읽고 쓰기	1번	33쪽

1) 이 사람은 공항에 있어요.
2) 친구가 세 시에 와요.
3) 친구는 다음 주 밤에 집에 가요.

읽고 쓰기	2번	33쪽

[예시]
저는 오늘 세종학당 친구를 만나요. 친구를 두 시에 만나요. 오늘 친구하고 백화점에 가요. 같이 쇼핑을 해요. 그리고 같이 영화관에 가요. 한국 영화를 봐요. 우리는 저녁에 친구 집에 가요. 그리고 같이 저녁을 먹어요. 저는 오늘 밤에 친구 집에서 자요.

 날씨가 더워요?

어휘와 표현	1번	34쪽

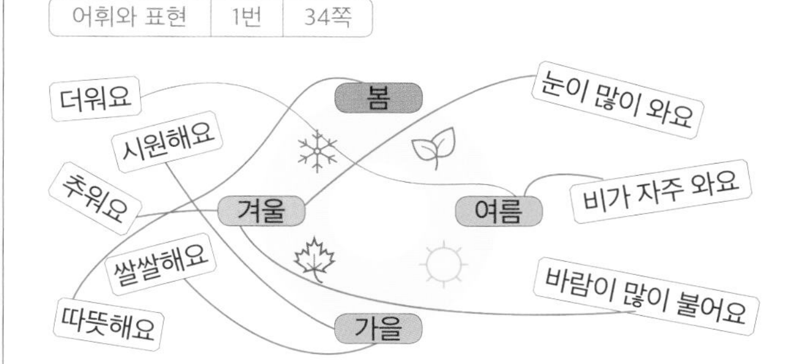

어휘와 표현	2번	34쪽

1) 가: 날씨가 어때요?
나: 비가 와요. 그리고 더워요.
2) 가: 날씨가 어때요?
나: 눈이 와요. 그리고 추워요.
3) 가: 날씨가 어때요?
나: 바람이 불어요. 그리고 시원해요.
4) [예시]
가: 날씨가 어때요?
나: 쌀쌀해요. 그리고 바람이 많이 불어요.

문법	1번	35쪽

1) 안 자요
2) 도서관에 안 가요
3) 날씨가 안 더워요
4) 전화를 안 해요

문법	2번	35쪽

1) 매워요
2) 쉬워요
3) 무거워요
4) 추워요

듣고 말하기	1번	36쪽

1) ③
2) 우산을 준비해요.

듣고 말하기	2번	36쪽

1) 오늘은 날씨가 맑아요. 그리고 따뜻해요.
2) 오늘은 눈이 와요. 그리고 아주 추워요.

읽고 쓰기	1번	37쪽

1) 한국은 봄에 날씨가 좋아요. 따뜻해요.

2) 여름에 비가 자주 와요.
3) 겨울 날씨는 아주 추워요. 눈이 와요.

읽고 쓰기 | 2번 | 37쪽

[예시]
영국에는 사계절이 있어요.
봄에는 날씨가 좋아요. 따뜻해요.
여름에는 많이 안 더워요.
가을에는 시원해요. 단풍이 예뻐요.
겨울에는 많이 안 추워요. 그렇지만 날씨가 흐려요. 그리고 비가 자주 와요.

 09 공원에서 산책했어요

어휘와 표현 | 1번 | 38쪽

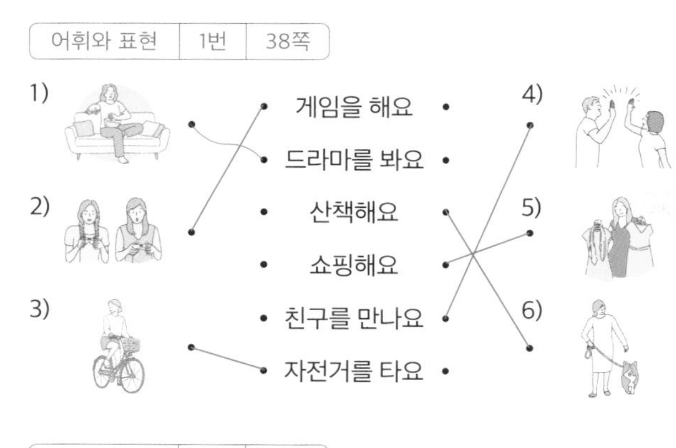

어휘와 표현 | 2번 | 38쪽

1) 영화관에 가요, 영화를 봐요
2) 박물관에 가요, 구경해요
3) 집에 있어요, 쉬어요
4) [예시]
백화점에 가요, 쇼핑해요

문법 | 1번 | 39쪽

1) 공원에서 운동해요
2) 영화관에서 영화를 봐요
3) 집에서 쉬어요
4) 친구하고 게임을 해요

문법 | 2번 | 39쪽

[예시 1]
가: 수지 씨는 토요일에 뭐 했어요?
나: 집에서 요리했어요.
[예시 2]
가: 안나 씨는 토요일에 뭐 했어요?
나: 친구하고 공원에서 자전거를 탔어요.
[예시 3]
가: 마리 씨는 토요일에 뭐 했어요?
나: 박물관에서 구경했어요.
[예시 4]
가: 재민 씨는 토요일에 뭐 했어요?
나: 친구하고 축구를 했어요.

듣고 말하기 | 1번 | 40쪽

1) ③
2) ③

듣고 말하기 | 2번 | 40쪽

[예시]
2) 가: 주말에 쇼핑을 했어요?
나: 네. 쇼핑을 했어요.
가: 어디에서 쇼핑을 했어요?
나: 백화점에서 쇼핑을 했어요.
3) 가: 주말에 운동을 했어요?
나: 아니요. 안 했어요.
가: 그럼 뭐 했어요?
나: 집에서 친구하고 게임했어요.

읽고 쓰기 | 1번 | 41쪽

1) 유진 씨는 토요일 오전에 방을 청소했어요. 그리고 빨래를 했어요.
2) 유진 씨는 토요일 오후에 친구하고 같이 떡볶이를 만들었어요.
3) 떡볶이는 아주 맛있었어요.

읽고 쓰기 | 2번 | 41쪽

[예시]
저는 토요일에 바빴어요. 오전에는 요리를 했어요. 떡볶이하고 김밥을 만들었어요. 점심에는 세종학당 친구들이 집에 왔어요. 집에서 친구하고 같이 게임을 했어요. 아주 재미있었어요. 그리고 같이 영화관에 갔어요. 한국 영화를 봤어요. 아주 재미있었어요.

10 우리 같이 놀이공원에 갈까요?

어휘와 표현 | 1번 | 42쪽

[예시]
2) 주노 씨하고 저녁을 먹어요.
3) 수지 씨하고 자전거를 타요.
4) 유진 씨하고 여행을 가요.

어휘와 표현 | 2번 | 42쪽

[예시]

1) 가: 오후에 뭐 해요?
   나: 도서관에서 공부해요.
2) 가: 내일 뭐 해요?
   나: 동생하고 백화점에서 쇼핑해요.
3) 가: 이번 주말에 뭐 해요?
   나: 유진 씨하고 한강공원에서 자전거를 타요.
4) 가: 방학에 뭐 해요?
   나: 친구하고 같이 여행을 가요.

문법 | 1번 | 43쪽

2) 안나 씨는 밥을 먹고 싶어 해요.
3) 마리 씨는 운전을 하고 싶어 해요.
4) 유진 씨는 게임을 하고 싶어 해요.

문법 | 2번 | 43쪽

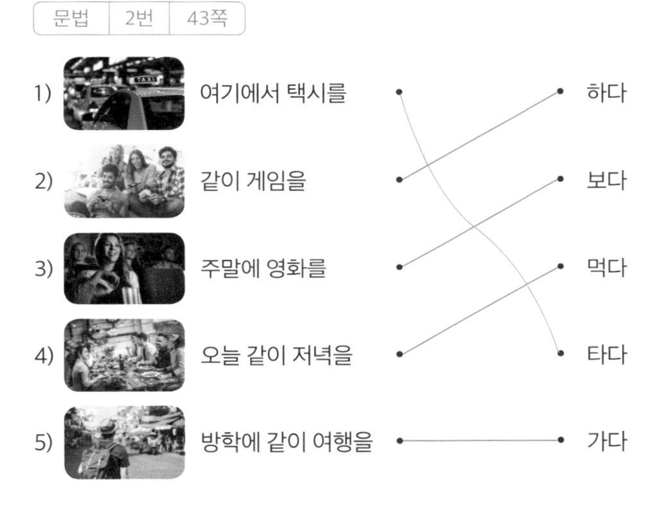

2) 같이 게임을 할까요?
3) 주말에 영화를 볼까요?
4) 오늘 같이 저녁을 먹을까요?
5) 방학에 같이 여행을 갈까요?

듣고 말하기 | 1번 | 44쪽

1) ②
2) ③

듣고 말하기 | 2번 | 44쪽

1) 가: 1월 3일 금요일에 케이팝 콘서트를 같이 볼까요?
   나: 좋아요. 저도 케이팝 콘서트를 보고 싶었어요.
   가: 콘서트가 오후 7시에 시작해요. 몇 시에 만날까요?
   나: 그럼 6시 30분에 만나요. 어디에서 콘서트를 해요?
   가: 세종운동장에서 해요. 세종운동장 앞에서 만날까요?
   나: 좋아요. 그럼 세종운동장 앞에서 만나요.
2) 가: 9월 10일 토요일에 한국 영화를 같이 볼까요?
   나: 좋아요. 저도 한국 영화를 보고 싶었어요.
   가: 영화는 서울영화관에서 오후 8시에 시작해요. 몇 시에 만날까요?
   나: 그럼 오후 7시 30분에 만나요.
   가: 좋아요. 그럼 영화관 앞에서 오후 7시 30분에 만나요.

읽고 쓰기 | 1번 | 45쪽

1) 오늘 축구 경기를 봤어요.
2) 축구 경기는 정말 재미있었어요.
3) 마리 씨하고 저녁을 먹었어요.

읽고 쓰기 | 2번 | 45쪽

[예시]

저는 한강공원에 가고 싶었어요. 그래서 오늘 친구하고 한강공원에 갔어요. 친구하고 11시에 한강 공원에서 만났어요. 공원에는 사람들이 아주 많았어요. 저는 친구하고 같이 산책하고 자전거를 탔어요. 그리고 친구하고 같이 공원에서 라면을 먹었어요. 정말 맛있었어요. 오늘 하루는 재미있었어요.

어휘와 표현 색인

1A

자료 출처

1A

※ 이 교재는 산돌폰트 외 Ryu 고운한글돋움OTF, Ryu 고운한글바탕OTF 등을 사용하여 제작되었습니다. Ryu 고운한글돋움OTF, Ryu 고운한글바탕OTF 서체는 서체 디자이너 류양희 님에게서 제공 받았습니다.
※ 강승희, 곽명주, 박가을, 이재영, 정원교 작가와 함께 작업했습니다.

| 게티이미지코리아 |

2과 12쪽_1번 1)①/③ 5과 22쪽_1번 4); 23쪽_1번 1)/6); 24쪽_2번 (보기)/2)

| 셔터스톡 |

스피커 아이콘
말풍선
문서 아이콘
연필 아이콘

1과 6쪽; 7쪽; 8쪽_1번, 2번 (보기)우/1)/3); 9쪽 2과 11쪽_2번 1)/2)/3)/4); 12쪽_2번; 13쪽 3과 14쪽; 16쪽_1번, 2번 1)/3); 17쪽 4과 18쪽_1번; 19쪽; 20쪽_1번 1)②/③, 2), 2번; 21쪽_2번 5과 22쪽_1번 1)/2)/3)/5)/6); 23쪽_1번 (보기)/2)/3)/4)/5), 2번; 24쪽_1번, 2번 1)/3)/4); 25쪽 6과 26쪽_1번; 27쪽; 28쪽_1번 1), 2번; 29쪽_1번 좌, 2번 7과 30쪽; 31쪽; 32쪽_1번 1)①/③좌, 2번; 33쪽 8과 34쪽; 35쪽_1번 (보기)/1)/4), 2번 2); 36쪽_1번; 37쪽 9과 38쪽_1번 2)/3)/4)/5)/6), 2번 1)/2)/3); 39쪽; 40쪽; 41쪽 10과 42쪽; 43쪽; 44쪽_2번; 45쪽 부록 47쪽

| 기타 |

2과 12쪽_세종학당 로고 (세종학당재단 제공)

세종한국어 | 더하기 활동 1A

기획 국립국어원 박미영 학예연구사
국립국어원 조 은 학예연구사

집필 책임 집필 이정희 경희대학교 국제교육원 교수
공동 집필 장미정 고려대학교 교양교육원 조교수
김은애 서울대학교 언어교육원 대우교수
천민지 한양대학교 국제교육원 교육전담교수
김지혜 경희대학교 국제교육원 한국어 강사
윤세윤 경희대학교 국제교육원 객원교수
집필 보조 문진숙 경희대학교 국어국문학과 박사수료
한재민 경희대학교 국어국문학과 박사수료
정성호 경희대학교 국어국문학과 박사수료
서유리 경희대학교 국어국문학과 박사과정

발행 국립국어원
주소: (07511) 서울특별시 강서구 금낭화로 154
전화: +82(0)2-2669-9775
전송: +82(0)2-2669-9727
누리집: www.korean.go.kr

초판 1쇄 발행 2022년 9월 1일
초판 2쇄 발행 2024년 2월 29일

편집 • 제작 공앤박 주식회사
주소: (05116) 서울특별시 광진구 광나루로56길 85, 프라임센터 3411호
전화: +82(0)2-565-1531
전송: +82(0)2-6499-1801
누리집: www.kongnpark.com / www.BooksOnKorea.com (구매)

총괄 공경용
편집 이유진, 김세훈, 이진덕, 여인영, 김령희, 성수정, 최은정, 함소연
영문 편집 Sung A. Jung, Paulina Zolta, Kassandra Lefrancois-Brossard
디자인 오진경, 서은아, 이종우, 이승희
삽화 강승희, 곽명주, 박가을, 이재영, 정원교
관리·제작 공일석, 최진호
IT 자료 손대철
마케팅 윤성호

ISBN 978-89-97134-50-2 (14710)
ISBN 978-89-97134-21-2 (세트)